D1238234

Agnieszka Frączek

Kelner Kornel

i inne wiersze niesforne

Butki

Przez ogródki mkną trzy butki –
pierwszy, krótki, niesie kłódki,
drugi, długi, dwie spirale,
a trzeciego nie ma wcale.

Łażą po rosic
łaciate łosie.

Obok przez kładkę
sunie ukradkiem
bielutka krowa.
Bielutka?... Mowa!
Łosiom na raty
sprzedała łaty.
Źle wyszła na tym...

Ładny radny

Jeden radny,
bardzo ładny,
a do tego również rączy
(rzadko kto te cechy łączy),
chciał pobrykać pośród łąk,
używając nóg i rąk.

Ale gdy na rękach łaził,
to go krzaczek w nos uraził,
kiedy zaś na nogach brykał,
to komarów się nałykał.

– Trzeba tu wprowadzić ład! –
ryknął radny, z siebie rad.
Betoniarkę chwycił w rączkę
i wyasfaltował łączkę.

Kolce w kojcu

Kajtek nie chce leżeć w kojcu,
bo w tym kojcu jest sto kolców,
które zgubił pewien jeż.
Więc go nie proś: „Kajtek, leż!".

Jajo

Lala Jula jajo lula.

Lula jajo lala Jula,
delikatnie jajem buja,
bo w tym jaju sobie lula
smok Alojzy, kawał zbója.

Jak się zbudzi,
zacznie hulać!

Co za jeleń!

To jest lejek. A na lejku...
Nie do wiary! Jejku, jejku!
Na tym lejku stoi jeleń
i, wyjawić się ośmielę,
jeleń ów w ten lejek... leje!
Leje w lejek!!! Oszaleję!
Choć to dziwne jest, że jej,
jeleń w lejek leje... klej!
– Po co? – pytam. Jeleń na to
(lejąc) rzecze węzłowato:
– Leję kleje po kolei,
bo się gadka nam nie klei.

Fakt. Choć staram się szalenie,
nie dogadam się z jeleniem...
A on? Leje coraz śmielej.
Jejku, jejku... Co za jeleń!

Normalka

W pewnej bajce wuj (lub stryj)
wiózł na barce wór (i kij).
Kijek gwizdał jak fujarka,
a wór tańczył jak Jamajka.

Ot, normalka.

Rada

– Niech pan kupi, panie Jarku,
jabłka rajskie na jarmarku,
zrobi jarską konfiturę,
górę uje (to nie truje!),

doda szczyptę majeranku
i codziennie o poranku
tę potrawę z chrzanem jada.

Czy to aby dobra rada?...

Rolki
Jolki

Kiedy Jolka
gna na rolkach,
to dwie rolki
owej Jolki
rączo jadą
wbrew jej radom.

Pędzą w dal za jardem jard,
jakby to był dziki rajd!

Bo gdy **J**olka
gna na **r**olkach,
to dwie **r**olki
owej **J**olki
same wolą wodzić **r**ej.
No i nie słuchają **j**ej.

Król Drobnisław

Król Drobnisław z tego słynie,
że się drapie po drabinie,
nim na tronie klapnie rad.

Wszak Drobnisław
to nie drab!

24

Ambitny trampek

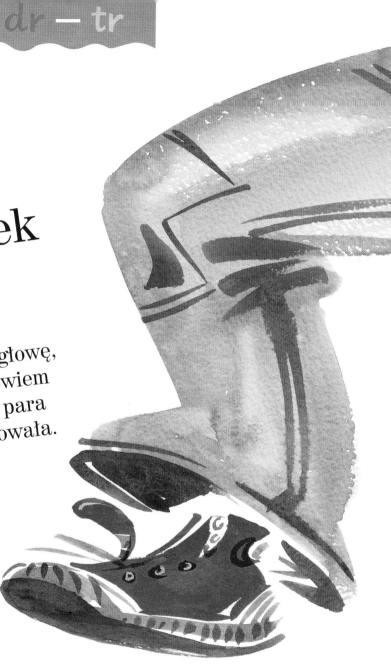

Pewien **tr**ampek **tr**acił głowę,
trapił się i **dr**ęczył, bowiem
drelichowych spodni para
wciąż go z góry **tr**aktowała.

Nadbagaż

Truchta drogą tragarz w dresie,
trójkę słoni z trudem niesie.
Niesie z trudem, bowiem dranie
droczą z nim się niesłychanie –

drapią go trąbami w uszy,
drażnią, drwiąc z tragarza tuszy,
dręczą, trąbiąc: – Tru! Tragarzu!
Masz dwa słonie nadbagażu!

Pranie

Prała praczka kubrak brudny,
kubrak w tysiąc prążków cudnych.
Prała w pralce i w zmywarce,
prężnie tarła go na tarce,
raz bryzgała pianą troszkę,
raz pryskała wodą z proszkiem
i za plamą prała plamę.

Aż zostały prążki same.

28

Świnki

Do **tr**amwaju (po **dr**abinie)
wsiadły dwie (**pr**awdziwe!) świnie.
Dwa **pr**osiaczki – **br**at i siostra.
A dlaczego? Sprawa **pr**osta:
świnkom przygód było **br**ak,
więc **pr**ysnęły sobie w świat.

Groźny groch

Gadał groszek z krokodylem:
– Jestem mały, fakt, nie kryję...
Lecz choć ważę tylko gram,
krokodylą duszę mam!
Jestem groźny i zielony,
gryzę, grabię, miotam gromy,
hipcie jak krakersy jem,
a ze słoni robię krem.
Taki krewki ze mnie groch!

A **kr**okodyl? Westchnął: – Och...
Krótko dumał, blady troszkę,
po czym gazem zwiał przed **gr**oszkiem.

Gruszka

Kroczy **drogą**
gruszka z **brodą**.
Gruszka z **brodą**,
w spodniach w **kratę**
i w dodatku pod **krawatem**.

Coraz prędzej w dal drałuje,
kroczy,
truchta,
biegnie,
pruje,
gna po bruzdach, aż drży dróżka!

Nie do wiary! Co za gruszka...?!

Dokąd ona pruje tak,
że aż jej furkocze frak
i pękają z hukiem szelki?

Gna na brydża do brukselki.

Przysmak

Krasnal Grubcio prężnie broi –
drogie trampki w kratkę kroi,
krasi tranem, gruzem prószy
(grudki gruzu drobno kruszy),
pryska kremem (z trocinami)
i wtranżala to grabiami.

34

TRAN

barki – łodzie o płaskim dnie, służące do przewożenia towarów. *Barki* mają też drugie znaczenie, które… Stop! O wyrazach wieloznacznych opowiadam Wam przecież w całkiem innej książce ;-)

bruzda – długie i wąskie zagłębienie.

bryzgać – chlapać, pryskać. Gdy samochody bryzgają (wodą albo błotem), przechodnie zwykle pryskają. Prędko.

drab – wielgachny mężczyzna, w dodatku niezbyt sympatyczny.

drałować – pędzić, zasuwać, dyrdać, gazować… itd.

drelich – gruba, mocna tkanina. Drelichowy strój raczej nie nadaje się na bal.

droczyć się – przekomarzać się z kimś, zwykle dla żartów.

furkot – dźwięk, który brzmi mniej więcej tak: FRRRY! albo tak: FURRR!

grabić – kraść. Ciekawe, czy znacie drugie znaczenie tego czasownika?

Jamajka – mieszkanka Jamajki, wyspy, która słynie z muzyki *reggae* i innych gorących rytmów. Pewnie dlatego Jamajki z Jamajki tańczą jak nikt inny na świecie (poza worem wuja, oczywiście).

jard – jednostka długości używana w Anglii i USA. Jard jest ciut krótszy od metra (dla dociekliwych: *ciut* to moja prywatna jednostka długości, równa mniej więcej 10 cm).

jarski – bezmięsny.

kojec – mebel, zwykle wiklinowy, służący psom do spania i leniuchowania.

krasić – polewać jedzenie tłuszczem (i, przy okazji, kaloriami).

krewki – taki, który łatwo wpada w złość. Lepiej trzymać się od niego z daleka!

landara – duży, niezgrabny pojazd. Nie mylić z landryną.

lura – słaba kawa, herbata lub wodnista zupa. Ble!

prężnie – energicznie.

radny – bardzo poważny pan, który na bardzo poważnych zebraniach (zwanych radami gminy) dyskutuje o bardzo poważnych sprawach.

rączy – szybki, żwawy, zwinny, chyży. Jak się postaracie, to znajdziecie jeszcze kilka(naście) przymiotników o podobnym znaczeniu.

rezolutny – śmiały i zaradny. Czyli ktoś taki jak Pippi Langstrumpf albo Reksio.

rubel – rosyjska moneta.

tragarz – człowiek, którego praca polega na dźwiganiu bagaży. Nie mylić z ciężarowcem, który dźwiga dla sportu.

trapić się – martwić się, smucić. Oby jak najrzadziej!

węzłowato – krótko. I już.

wtranżalać – pałaszować, wcinać, pochłaniać, frygać. Czyli zajadać, aż się uszy trzęsą.

spis treści